O Principezinho

Desconfio que aproveitou uma migração
de pássaros selvagens para concretizar a sua fuga.

ANTOINE DE SAINT-EXUPÉRY

O Principezinho

Com ilustrações do autor

D.QUIXOTE

Título original: *Le Petit Prince*
© 2015, Publicações Dom Quixote

Tradução: Maria João Medeiros
Paginação: Produção LeYa
Pré-impressão: LeYa
Impressão e acabamento: Multitipo

1.ª edição: janeiro de 2015
2.ª edição: abril de 2015
Depósito legal n.º 390 466/15
ISBN: 978-972-20-5593-2
Reservados todos os direitos

Publicações Dom Quixote
Uma editora do Grupo Leya
Rua Cidade de Córdova, n.º 2
2610-038 Alfragide • Portugal
www.dquixote.pt
www.leya.com

Para Léon Werth

Peço perdão às crianças por ter dedicado este livro a um crescido.

Tenho uma desculpa muito séria: este crescido é o melhor amigo do mundo.

Tenho outra desculpa: este crescido consegue compreender tudo, até os livros para crianças.

Tenho uma terceira desculpa: este crescido vive em França, onde passa fome e frio.

Bem precisa de ser consolado. Se todas estas desculpas não chegam, então quero dedicar este livro à criança que este crescido antigamente foi.

Todos os crescidos começaram por ser crianças. (Embora poucos se lembrem disso.) Assim sendo, corrijo a minha dedicatória:

Para Léon Werth
Quando era menino.

I

Uma vez, quando tinha seis anos, vi uma imagem maravilhosa num livro sobre a floresta virgem chamado «Histórias Vividas». Era a ilustração de uma serpente jiboia a engolir um animal selvagem. Eis a cópia do desenho.

Dizia no livro: «As jiboias engolem a sua presa inteira, sem a mastigarem. Depois, ficam sem se poder mexer e dormem durante os seis meses que dura a digestão.»

Refleti bastante acerca das aventuras na selva e inspirei-me para fazer o meu primeiro desenho, com um lápis de cor. O meu desenho número 1. Era assim:

Mostrei a minha obra-prima aos crescidos e perguntei se o desenho lhes metia medo.

Responderam-me: «Mas porque é que um chapéu nos meteria medo?»

O meu desenho não representava um chapéu. Representava uma jiboia a digerir um elefante. Desenhei então o interior da jiboia, para que os crescidos pudessem perceber. Eles precisam sempre de explicações. O meu desenho número 2 era assim:

Os crescidos aconselharam-me a pôr de lado os desenhos de jiboias, abertas ou fechadas, e a interessar-me antes pela geografia, pela história, pelo cálculo e pela gramática. E foi assim que desisti, aos seis anos de idade, de uma magnífica carreira de pintor. Senti-me desencorajado pelo fracasso do meu desenho número 1 e do meu desenho número 2. Os crescidos nunca são capazes de compreender nada sozinhos e é cansativo, para as crianças, ter de estar sempre, sempre a dar-lhes explicações.

Tive então de escolher outra profissão e aprendi a pilotar aviões. Voei um pouco por todo o mundo. E, sim, é verdade, servi-me imenso da geografia. Sabia distinguir, só de olhar, a China do Arizona. Pode ser muito útil, se nos perdermos a meio da noite.

Deste modo estabeleci, ao longo da vida, uma data de contactos com uma data de gente séria. Vivi bastante entre os crescidos. Observei-os de muito perto. O que não melhorou grandemente a minha opinião acerca deles.

Quando encontrava um que me parecia mais lúcido, fazia com ele a experiência do meu desenho número 1, que conservei sempre. Queria descobrir se seria realmente compreensivo. Mas dava-me a mesma resposta: «É um chapéu.» Então, não lhe falava de jiboias, nem de florestas virgens, nem de estrelas. Punha-me ao nível dele. E o crescido ficava todo contente de ter conhecido um homem tão razoável.

II

Vivi, pois, sempre só, sem ter ninguém com quem falar verdadeiramente, até uma avaria no deserto do Sara, há seis anos. Algo se partiu no motor do meu avião. E como não levava nem mecânico, nem passageiros, preparei-me para tentar executar, sozinho, uma reparação difícil. Para mim, era uma questão de vida ou de morte. Tinha apenas água suficiente para oito dias.

Na primeira noite, adormeci deitado na areia, a milhas e milhas de qualquer terra habitada. Estava mais isolado que um náufrago numa jangada, em pleno oceano. Podem então imaginar a minha surpresa quando, ao romper do dia, uma vozinha curiosa me despertou. Dizia:

— Por favor… Desenha-me uma ovelha!

— Hã?

— Desenha-me uma ovelha…

Levantei-me de um salto, como se tivesse sido atingido por um raio. Esfreguei bem as pálpebras. Olhei atentamente. E vi um rapazinho, a todos os títulos extraordinário, que me contemplava, com ar grave. Aqui está o melhor retrato que, mais tarde, consegui traçar dele. Como é óbvio, o meu desenho saiu bastante menos deslumbrante que o modelo. Não tenho culpa. Os crescidos desencorajaram-me da minha carreira de pintor, aos seis anos de idade, e nunca aprendi a desenhar nada, à exceção de jiboias fechadas e jiboias abertas.

Fixei-me nesta aparição, de olhos esbugalhados. Não se esqueçam que me encontrava a milhas e milhas de qualquer região habitada. Ora, o meu rapazinho não parecia nem perdido, nem morto de fadiga, nem morto de fome, nem morto de sede, nem morto de medo. Não aparentava, em nada, ser uma criança perdida no meio do deserto, a milhas e milhas de qualquer região habitada. Quando, por fim, consegui falar, disse-lhe:

— Mas… Que fazes tu aqui?

Ele repetiu, baixinho, como se fosse uma coisa muito séria:

— Por favor… Desenha-me uma ovelha…

Quando o mistério é deveras admirável, não nos atrevemos a desobedecer. Por muito absurdo que aquilo me parecesse, a milhas e milhas de qualquer lugar habitado e em risco de morte, tirei do bolso uma folha de papel e uma esferográfica. Foi então que me lembrei que estudara sobretudo a geografia, a história, o cálculo e a gramática e (com uma pontinha de mau humor) disse ao rapazinho que não sabia desenhar. Respondeu:

Este é o melhor retrato que, mais tarde, consegui fazer dele.

— Isso não importa. Desenha-me uma ovelha.

Como nunca tinha desenhado uma ovelha, esbocei-lhe um dos dois únicos desenhos que sabia fazer. O da jiboia fechada. E fiquei estupefacto de ouvir o rapazinho responder:

— Não! Não! Não quero um elefante dentro de uma jiboia. Uma jiboia é muito perigosa e um elefante é muito volumoso. Vivo num lugar pequenino. Preciso de uma ovelha. Desenha-me uma ovelha.

Fiz, então, o desenho.

Analisou com atenção e:

— Não! Essa já está muito doen-te. Faz outra.

Desenhei:

Com infinita tolerância, o meu amigo sorriu:

— Mas sabes… Isso não é uma ovelha, é um carneiro. Tem chifres…

Refiz, mais uma vez, o meu desenho:

O qual foi recusado, como os anteriores:

— Essa é muito velha. Quero uma ovelha que viva muito tempo.

Então, já com pouca paciência e alguma pressa em começar a desmontar o motor, rabisquei este desenho aqui.

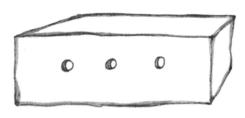

Sugeri-lhe:

— Isto é a caixa. A ovelha que queres está lá dentro.

E que espantado fiquei ao ver iluminar-se a cara do meu jovem juiz:

— Era exatamente assim que eu queria! Achas que essa ovelha vai precisar de muita erva?

— Porquê?

— Porque vivo num lugar pequenino…

— Vais ter erva que chegue, acredita. Dei-te uma ovelha pequenina…

Debruçou-se sobre o desenho:

— Não é tão pequenina quanto isso… Olha! Adormeceu…

E foi assim que conheci o principezinho.

III

Precisei de bastante tempo para perceber de onde ele vinha. O principezinho, que me fazia várias perguntas, parecia ser incapaz de escutar as minhas. Foram palavras ditas ao acaso que, aos poucos, me revelaram tudo. Por exemplo, quando reparou no meu avião pela primeira vez (não vou desenhar o meu avião, seria um desenho demasiado complicado para mim) perguntou-me:

— O que é aquela coisa, ali?

— Não é uma coisa. Aquilo voa. É um avião. É o meu avião.

Cheio de orgulho expliquei-lhe que sabia voar. Ele exclamou logo:

— O quê?! Tu caíste do céu?

— Sim — admiti, com modéstia.

— Ah! Que engraçado…

O principezinho deu uma grande gargalhada que me irritou imenso. Gosto que as minhas desgraças sejam levadas a sério. A seguir, acrescentou:

— Mas então tu também vens do céu! De que planeta és?

Vislumbrei ali um pequeno clarão, no mistério da sua presença, e interroguei-o de imediato:

— Porque tu vens de outro planeta, é isso?

Ele, porém, não me respondeu. Pôs-se a observar o meu avião, com um ligeiro aceno de cabeça:

— É claro que, naquilo, não podes ter vindo de muito longe…

E deixou-se levar longamente em pensamentos. A seguir, tirando do bolso a minha ovelha, ficou a contemplar o seu tesouro.

Conseguem decerto imaginar como fiquei intrigado por esta semiconfidência acerca dos «outros planetas». Esforcei-me, naturalmente, por saber mais:

— De onde vens, meu rapazinho? Onde fica o «lugar» onde vives? Para onde tencionas levar a minha ovelha?

Após meditar, em silêncio, respondeu:

— O que é bom, com a caixa que me deste, é que, de noite, lhe pode servir de casa.

O Principezinho no asteróide B 612.

— Pois pode. E, se te portares bem, ainda te posso dar uma corda para a prenderes durante o dia. E uma estaca.

O principezinho pareceu chocado com a proposta.

— Prendê-la? Que ideia!

— Mas se não a prenderes, ela vai andar à solta e pode perder-se...

O meu amigo deu outra gargalhada:

— E para onde é que achas que ela vai?

— Para qualquer lado. Pode ir sempre a direito...

Então, o principezinho salientou, gravemente:

— Isso não faz qualquer sentido, vivo num lugar pequenino.

E, talvez com alguma nostalgia, rematou:

— Quem for sempre a direito, não vai longe...

IV

Fiquei, deste modo, a saber uma segunda coisa muito importante: que o seu planeta de origem era pouco maior que uma casa!

Não me admirei nada com isso. Já sabia que ao redor dos grandes planetas como a Terra, Júpiter, Marte e Vénus,

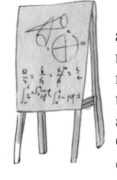

aos quais se deram nomes, existem centenas de outros, por vezes tão pequenos que mal se avistam pelo telescópio. Quando um astrónomo descobre um deles, batiza-o com um número. Chama-lhe, por exemplo: «o asteroide 3251».

Tenho razões de sobra para achar que o planeta de onde veio o principezinho é o asteroide B 612. Este asteroide apenas foi observado ao telescópio uma vez, em 1909, por um astrónomo turco.

Sem demoras, fez logo uma aparatosa demonstração da sua descoberta, num Congresso Internacional de Astronomia. Mas ninguém acreditou nele, por causa da roupa que usava. Os crescidos são assim.

Felizmente para a reputação do asteroide B 612, um ditador turco obrigou o seu povo a vestir-se à europeia, sob pena de morte. O astrónomo repetiu a demonstração em 1920, com um fato elegantíssimo. E, desta vez, toda a gente concordou com ele.

Só vos contei estes pormenores sobre o asteroide B 612 e só vos revelei o seu número por causa dos crescidos. Os crescidos adoram números.

Quando lhes falamos acerca de um novo amigo, nunca querem saber o essencial. Nunca nos perguntam: «Como é a sua voz? Quais os seus jogos preferidos? Coleciona borboletas?» Apenas questionam: «Quantos anos tem? Quantos irmãos tem? Quanto pesa? Quanto ganha o pai?» Só assim julgam que ficam a conhecê-lo. Se dissermos aos crescidos: «Vi uma linda casa, com tijolos cor-de-rosa, gerânios nas janelas e pombas no telhado…», eles não conseguem imaginar esta casa. É melhor dizer-lhes: «Vi uma casa que custa cem mil francos.» Então, aplaudem, entusiasmados: «Mas que bonita!»

De modo que, se lhes dissermos: «A prova de que o principezinho existiu é que ele era deslumbrante, que ele ria, que ele queria uma ovelha. E quando queremos uma ovelha, é prova de que existimos», eles irão encolher os ombros e tratar-nos como crianças! Ao invés, se lhes dissermos: «O planeta de onde ele veio é o asteroide B 612», ficarão plenamente convencidos e não irão incomodar-nos com mais perguntas. Eles são assim. Não vale a pena zangarmo-nos. As crianças devem ser muito tolerantes para com a gente crescida.

É evidente que nós, que compreendemos a vida, não ligamos importância nenhuma aos números! Adorava ter começado esta história à maneira dos contos de fadas. Teria adorado escrever:

«Era uma vez um principezinho que vivia num planeta pouco maior do que ele e que estava a precisar de um amigo…» Para aqueles que compreendem a vida, isto teria soado muito mais genuíno.

Porque não queria nada que lessem o meu livro com ligeireza. Custa-me tanto voltar a estas recordações… Já passaram seis anos desde que o meu amigo partiu com a sua ovelha. E se tento aqui descrevê-lo, é para não o esquecer. É triste esquecer um amigo. Nem toda a gente sabe o que é ter um amigo. E posso tornar-me como os crescidos que apenas se interessam por números. Foi também por este motivo que comprei uma caixa de tintas e alguns lápis. É complicado retomar o desenho, na minha idade, quando nunca se fez mais nenhuma tentativa, exceto aquela da jiboia fechada e a da jiboia aberta, aos seis anos! Tentarei, é claro, fazer retratos o mais parecidos possível. Não tenho, porém, a certeza de que vá conseguir. Se faço um bom desenho, o seguinte já não sai com tantas semelhanças. Também sei que falho um pouco na sua altura: aqui o principezinho parece alto; ali é pequeno demais. Tenho igualmente dúvidas em relação à cor do seu fato. Vou rabiscando isto e aquilo, e faço assim ou assado, o melhor que sei. É portanto provável que erre em alguns dos detalhes mais importantes. Quanto a isso, terão de me perdoar. O meu amigo nunca dava explicações. Devia achar-me igual a ele. Só que eu, infelizmente, não sei ver ovelhas através de caixas. Se calhar, sou um pouco como os crescidos. Devo ter envelhecido.

V

Todos os dias descobria mais qualquer coisa sobre o planeta, sobre a partida, sobre a viagem. Acontecia espontaneamente, ao sabor das conversas. E assim foi que, ao terceiro dia, fiquei a conhecer a tragédia dos embondeiros.

Foi de novo graças à ovelha pois, subitamente, o principezinho interrogou-me, como que assaltado por uma grande dúvida:

— E é verdade que as ovelhas comem arbustos, não é?

— Sim, é verdade.

— Ah! Ainda bem.

Não percebi porque era tão importante que as ovelhas comessem arbustos. Contudo, o principezinho continuou:

— Assim sendo, também comem embondeiros?

Fiz ver ao principezinho que os embondeiros não são arbustos mas sim grandes árvores do tamanho de igrejas e que, mesmo que levasse com ele uma manada de elefantes, essa manada não conseguiria acabar com um único embondeiro.

A ideia da manada de elefantes fez rir o principezinho:

— Teríamos de os pôr uns por cima dos outros…

Depois, num ápice, deduziu:

— Os embondeiros, antes de crescerem, começam por ser pequenos.

— Lógico. Mas porque queres tu que as tuas ovelhas comam os embondeiros em pequenos?

Respondeu-me: «Ora! Está-se mesmo a ver!», como se fosse a coisa mais óbvia. Mas muito tive eu de puxar pela cabeça para decifrar esta questão sozinho…

Com efeito, no planeta do principezinho, como em todos os planetas, havia ervas boas e ervas más. E, portanto, sementes

20

boas de ervas boas e sementes más de ervas más. Só que as
sementes são invisíveis. Dormem no segredo da terra até que
uma delas decide que são horas de acordar… Então espre-
guiça-se e, a princípio timidamente, expande até ao sol um
raminho inofensivo. Se se tratar de um talo de rabanete ou
de roseira, podemos deixá-lo crescer à vontade. Agora, se se
tratar de uma planta má, é preciso arrancá-la imediatamente,
assim que a identificamos. Acontece que havia umas sementes terríveis no planeta do principezinho… As sementes de
embondeiro. O solo do planeta estava infestado delas.
E acontece que, se um embondeiro for detetado tarde demais,
já ninguém consegue livrar-se dele. Atravanca o planeta
inteiro. Perfura-o com as suas raízes. E se o planeta for

demasiado pequenino, e se os embondeiros forem demasiado numerosos, fazem-no rebentar.

«É uma questão de disciplina», disse-me mais tarde o principezinho. «Quando acabamos de nos arranjar, logo pela manhã, é preciso ir arranjar o planeta, com o mesmo cuidado. Temos obrigação de arrancar os embondeiros com regularidade, assim que os distinguimos das roseiras, com as quais se parecem bastante quando ainda são jovens. É um trabalho muito maçador, mas muito fácil.»

Certo dia, incitou-me a fazer um desenho bem elucidativo, de modo a meter isto na cabeça das crianças do lugar onde vivo. «Se um dia elas viajarem», disse-me ele, «poderá ser-lhes útil. Às vezes, não há problema em deixar o nosso trabalho para mais tarde; mas, quando se trata de embondeiros, é sempre uma catástrofe. Conheci um planeta onde vivia um preguiçoso. Deixou escapar três arbustos…»

Seguindo as indicações do principezinho, desenhei o referido planeta. Não me agrada nada fazer papel de moralista. Mas o perigo dos embondeiros é tão pouco conhecido e são tão consideráveis os riscos que correm aqueles que forem parar a um asteroide, que, desta vez, abro uma exceção. E digo: «Crianças! Cuidado com os embondeiros!» Foi para avisar os meus amigos de um perigo que os ronda há imenso tempo, e que é para eles, como era para mim, desconhecido, que me empenhei tanto neste desenho. A lição que aqui deixo, vale bem a pena. Talvez se interroguem: «Por que razão não há, neste livro, outros desenhos tão grandiosos como o desenho dos embondeiros?» A resposta é simples: tentei mas não consegui. Quando desenhei os embondeiros estava motivado por um sentimento de grande urgência.

Os embondeiros.

VI

Oh, principezinho! Desta forma, pouco a pouco, fui compreendendo a tua pequena vida melancólica. Durante muito tempo apenas tiveste, como única distração, a doçura dos pores do sol. Soube deste novo detalhe na manhã do quarto dia, quando me disseste:

— Gosto tanto dos pores do sol. Vamos ver um pôr do sol…

— Mas temos de esperar…

— Esperar o quê?

— Esperar que o sol se ponha.

A princípio, fizeste um ar muito surpreendido, mas depois riste-te de ti próprio. E explicaste-me:

— Julgo que ainda estou em casa!

Efetivamente. Quando é meio-dia nos Estados Unidos, o sol, como todos sabem, está a pôr-se em França. Bastava conseguir chegar à França num minuto para ir assistir ao pôr do sol. Infelizmente, a França fica a uma enorme distância. Todavia, no teu planeta tão pequenino, só tinhas de puxar ligeiramente a cadeira. E contemplavas o crepúsculo as vezes que quisesses…

— Certo dia, vi o sol a pôr-se quarenta e três vezes!

E, pouco depois, desabafaste:

— Sabes… quando estamos muitíssimo tristes, sabe bem ver o pôr do sol…

— E no dia das quarenta e três vezes estavas muitíssimo triste?

Mas o principezinho não respondeu.

VII

No quinto dia, sempre graças à ovelha, foi-me revelado este segredo da vida do principezinho. Dirigiu-se a mim para me perguntar, abruptamente, como fruto de um problema sobre o qual andasse há muito a meditar em silêncio:

— Uma ovelha, se come arbustos, também come flores?

— Uma ovelha come tudo o que encontra.

— Mesmo flores com espinhos?

— Sim, mesmo flores com espinhos.

— Então os espinhos servem para quê?

Eu não sabia. Naquele momento, andava muito entretido a remexer no meu motor, à procura de um parafuso demasiado apertado. Estava seriamente preocupado, pois a avaria parecia bastante grave e a água para beber ia-se esgotando, fazendo-me recear o pior.

— Os espinhos servem para quê?

Uma vez lançada, o principezinho nunca desistia de uma pergunta. Irritado com o tal parafuso, respondi sem pensar:

— Os espinhos não servem para nada, são uma pura maldade da parte das flores!

— Oh!

Após um silêncio, ele ripostou, com um certo ressentimento:

— Não acredito em ti! As flores são frágeis. São ingénuas. Defendem-se como podem. Elas acham que ficam assustadoras com os seus espinhos…

Nem respondi. Naquele instante, estava eu a matutar: «Se este parafuso continuar a não se mexer, vou arrancá-lo à martelada.» O principezinho tornou a interromper os meus raciocínios:

— Mas então, tu achas mesmo que as flores…

— Não! Não! Não acho nada! Respondi sem pensar. Estou a tratar de coisas sérias!

Ficou a olhar para mim, perplexo.

— De coisas sérias!

Ali estava eu, de martelo na mão, os dedos mascarrados com óleo do motor, debruçado sobre um objeto que lhe parecia muito feio.

— Tu falas como os crescidos!

Senti-me um tanto ou quanto envergonhado. Porém, implacável, ele acrescentou:

— Confundes tudo… Baralhas tudo!

Ficara profundamente irritado. Agitou ao vento os cabelos muito louros:

— Sei de um planeta onde há um senhor vermelhão. Nunca respirou uma flor. Nunca contemplou uma estrela. Nunca gostou de ninguém. Nunca fez mais nada a não ser contas. E, tal como tu, leva o dia inteiro a repetir: «Sou um homem sério! Sou um homem sério!», e fica todo inchado de orgulho. Mas aquilo não é um homem, é um cogumelo!

— Um quê?

— Um cogumelo!

O principezinho estava pálido de raiva.

— Há milhões de anos que as flores fabricam os espinhos. Há milhões de anos que, mesmo assim, as ovelhas comem as flores. E não é sério tentar perceber porque é que elas se dão ao trabalho de fabricar esses espinhos que nunca lhes serviram de nada? A guerra entre as ovelhas e as flores não é importante? Não é mais séria e mais importante que as contas de um senhor corado e gorducho? E se eu conhecer uma flor que é única no mundo, que não existe em mais parte nenhuma a não ser no meu planeta,

mas que uma pequena ovelha pode aniquilar, assim, de um momento para o outro, numa manhã qualquer, sem sequer ter noção daquilo que faz, então isto – isto não é importante?!

De faces mais rosadas, voltou à carga:

— Se alguém gosta de uma flor, da qual existe apenas um exemplar perdido entre os milhões e milhões de estrelas, isto basta para o deixar feliz quando olha para elas. Diz a si mesmo: «A minha flor está ali, algures…» Mas se a ovelha comer a flor, para ele é como se, de repente, todas as estrelas se apagassem! E isto – isto não é importante?!

Já não conseguiu dizer mais nada. De súbito, começou a soluçar. A noite caíra. Eu largara as minhas ferramentas. Queria lá saber do martelo, do parafuso, da sede e da morte. Havia, numa estrela, num planeta, no meu, na Terra, um principezinho para consolar! Tomei-o nos braços e emba-lei-o. Fui-lhe dizendo: «A flor de quem gostas não corre perigo… Vou desenhar um açaime para a tua ovelha… Vou desenhar uma armadura para a tua flor… Vou…» Não sabia o que dizer mais. Sentia-me muito desajeitado. Não sabia como chegar até ele, onde alcançá-lo. É tão misterioso, o país das lágrimas…

VIII

Depressa fiquei a conhecer melhor esta flor. No planeta do principezinho houve sempre flores muito simples, ador-nadas com uma única fila de pétalas, que quase não ocupa-vam espaço, nem incomodavam ninguém. Apareciam, pela manhã, no meio da erva, e murchavam ao cair da noite. Esta outra, todavia, germinara certo dia, de uma semente vinda não se sabe de onde, e o principezinho vigiara de muito perto este raminho que não se assemelhava em nada aos outros ramos. Podia perfeitamente ser um novo género de embondeiro… Mas o arbusto rapidamente parou de crescer e começou a preparar a sua flor. O principezinho, que acompanhou a evolução de um botão enorme, pressentia que dali iria sair uma aparição miraculosa, embora a flor, abrigada no seu quarto verde, nunca mais desse por terminados os seus preparativos para ser bela. Ela ia escolhendo ciosamente as suas cores. Vestia-se devagar e ajustava as pétalas uma a uma. Não queria sair toda amarrotada, como as papoilas. Só queria aparecer no esplendor máximo da sua beleza. É verdade: era muito vaidosa! A sua *toilette* misteriosa durou, portanto, dias e dias. E eis que, numa dada manhã, precisamente à hora do nascer do sol, se mostrou por fim.

E ela, que se aplicara com tanto esmero, afirmou, entre bocejos:

— Oh! Acordei mesmo agora… Peço desculpa… Estou toda despenteada…

O principezinho, no entanto, não conseguiu conter a sua admiração:

— Como és bonita!

— Pois sou — respondeu a vozinha da flor.
— E nasci ao mesmo tempo que o sol.

O principezinho percebeu logo que ela não era propriamente modesta… Mas era tão encantadora!

29

— Acho que são horas do pequeno-almoço — apressou-se ela a lembrar. — Se quiseres ter a amabilidade de pensar em mim…

O principezinho, todo atrapalhado, foi logo a correr buscar um regador com água fresca e serviu a flor.

E foi assim que, desde o começo, ela o atormentou com os caprichos da sua vaidade. Certo dia, por exemplo, a propósito dos seus quatro espinhos, disse ela ao principezinho:

— Venham de lá esses tigres, com as suas garras!

— Não existem tigres no meu planeta — objetou o principezinho — e, em todo o caso, os tigres não comem erva.

— Eu não sou uma erva — respondeu delicadamente a flor.

— Desculpa…

— Não tenho medo nenhum de tigres mas tenho pavor de correntes de ar… Não tens, por acaso, um biombo?

«Pavor de correntes de ar… Que pouca sorte, para uma planta», pensou o principezinho. «Esta flor é muito complicada…»

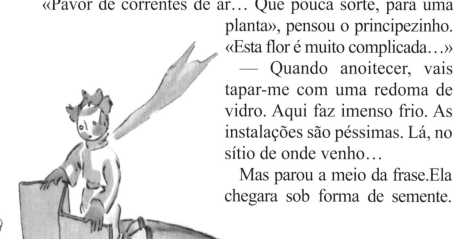

— Quando anoitecer, vais tapar-me com uma redoma de vidro. Aqui faz imenso frio. As instalações são péssimas. Lá, no sítio de onde venho…

Mas parou a meio da frase.Ela chegara sob forma de semente.

Não podia saber fosse o que fosse dos outros mundos. Humilhada por ter sido apanhada a preparar uma mentira tão ingénua, tossiu duas ou três vezes, para envolver o principezinho no seu enredo:

— Então, esse biombo?…

— Ia já buscá-lo mas ainda estavas a falar comigo!

E forçou mais uma tossezinha, para encher o principezinho de remorsos.

Deste modo, o principezinho, apesar de toda a boa vontade do seu amor, começou a duvidar dela. Levara a sério palavras sem importância e isso tornara-o muito infeliz.

«Não devia ter-lhe dado ouvidos» confessou-me ele, um dia. «Nunca se deve dar ouvidos às flores. Deve-se contemplá-las e respirá-las. A minha perfumava o meu planeta mas eu não soube contentar-me com isso. Aquela história das garras, que tanto me enervou, devia era ter-me enternecido…»

E ainda desabafou:

«Na altura, não fui capaz de compreender nada! Devia tê-la julgado pelos atos e não pelas palavras. Ela perfumava-me e iluminava-me. Não devia ter-me enfurecido! Devia ter reconhecido a doçura por trás das suas pobres artimanhas. As flores são tão contraditórias! Mas era demasiado jovem para saber amá-la.»

IX

Desconfio que aproveitou uma migração de pássaros selvagens para concretizar a sua fuga. Na manhã da partida, deixou tudo em ordem no seu planeta. Limpou a chaminé dos seus dois vulcões ativos com o maior dos cuidados. Possuía dois vulcões em atividade. Davam imenso jeito para aquecer o pequeno-almoço. Possuía igualmente um vulcão extinto. Contudo, e como ele costumava dizer: «Nunca se sabe!». Daí que também tenha limpo a chaminé do vulcão extinto. Quando estão bem limpos, os vulcões ardem regular e pacificamente, sem erupções. As erupções vulcânicas são como as labaredas das lareiras. Na nossa Terra somos, evidentemente, demasiado pequenos para limpar as chaminés dos nossos vulcões. Razão pela qual eles nos trazem tantas dores de cabeça.

Um pouco desgostoso, o principezinho arrancou os últimos rebentos de embondeiro. Julgava que nunca mais iria regressar. Talvez por isso, naquela manhã, todas estas tarefas habituais lhe pareceram extremamente agradáveis. E quando foi regar a flor pela última vez e se preparava para a deixar a salvo sob a redoma, teve vontade de chorar.

— Adeus — disse ele à flor.

Mas ela não respondeu.

— Adeus — repetiu ele.

A flor tossiu. E não era por estar constipada.

— Fui tola — disse-lhe ela, por fim. — Desculpa-me. Tenta ser feliz.

Ele admirou-se pela ausência de recriminações. E ali ficou, desconcertado, de redoma no ar. Não entendia aquela calma tão dócil.

Limpou a chaminé dos seus dois vulcões ativos
com o maior dos cuidados.

— Claro que te amo — declarou a flor. — Nunca te apercebeste, por culpa minha. Não tem importância. Afinal, foste tão tolo quanto eu. Tenta ser feliz… Deixa essa redoma aí. Já não a quero.

— Mas o vento…

— Não estou tão constipada quanto isso… O ar fresco da noite vai fazer-me bem. Sou uma flor.

— Mas os animais selvagens…

— Terei de suportar uma lagarta ou duas, para conhecer as borboletas. Ouvi dizer que são tão lindas… Senão, quem virá visitar-me? Tu não, que vais para longe. Quanto às feras, não tenho medo. Tenho as minhas garras.

E exibiu, inocentemente, os seus quatro espinhos. Ainda acrescentou:

— Não te arrastes assim, é enervante. Decidiste partir. Vai-te embora.

Isto porque ela não queria que ele a visse chorar. Era uma flor muito, muito orgulhosa…

X

Encontrando-se ele nas redondezas dos asteroides 325, 326, 327, 328, 329 e 330, acabou por ir visitá-los, em busca de uma ocupação e de mais instrução.

O primeiro era habitado por um rei. Trajado de púrpura e arminho, o rei ocupava um trono simples e, simultaneamente, majestoso.

«Ah! Aqui vem um súbdito!» — exclamou o rei, ao reparar no principezinho.

E o principezinho perguntou-se:

«Mas como pode ele reconhecer-me sem nunca me ter visto?!»

O que ele não sabia é que, para os reis, o mundo é muito simplificado. Todos os homens são súbditos.

— Aproxima-te, para eu te ver melhor — disse o rei, orgulhoso em poder ser rei de alguém.

O principezinho procurou lugar para se sentar mas o planeta estava totalmente atravancado pelo magnífico manto de arminho. Teve pois de permanecer de pé e, como estava fatigado, bocejou.

— Bocejar diante de um rei vai contra as regras de etiqueta — ralhou o monarca. — Proíbo-te.

— Não consigo evitar — disse o principezinho, embaraçado. — Venho de uma longa viagem e estou sem dormir…

— Pois bem — disse o rei — ordeno-te que bocejes. Há anos e anos que não via ninguém bocejar. Esses bocejos são verdadeiras curiosidades para mim. Vá! Boceja mais! É uma ordem!

— Isso intimida-me… Assim não consigo — defendeu-se o principezinho, muito corado.

— Hum… Hum… — reconsiderou o rei. — Sendo assim eu… Eu ordeno-te que ora bocejes, ora…

O rei balbuciou qualquer coisa e parecia vexado.

Isto porque aquilo que mais importava ao rei era que a sua autoridade fosse respeitada. Não tolerava desobediências. Era um monarca absoluto. Porém, como era muito bondoso, dava sempre ordens razoáveis.

«Se mandasse um general — justificava-se ele, frequentemente — se mandasse um general transformar-se numa

ave marinha e se o general não me obedecesse, não seria culpa do general. Seria culpa minha.»

— Posso sentar-me? — indagou, timidamente, o principezinho.

— Ordeno que te sentes — respondeu o rei, recolhendo majestosamente uma secção do seu manto de arminho.

Mas o principezinho estava admirado. O planeta era minúsculo. Sobre o que é que aquele rei poderia reinar?

— Majestade… — avançou o principezinho. — Com o vosso perdão por vos interrogar…

—Ordeno-te que me interrogues — apressou-se o rei a dizer.

— Majestade... Vós reinais sobre o quê?

— Sobre tudo — respondeu o rei, com naturalidade.

— Sobre tudo?

O rei fez um gesto discreto que abarcou o seu planeta, os outros planetas e as estrelas.

— Sobre isto tudo? — fez o principezinho.

— Sobre isto tudo — confirmou o rei.

De facto, não só era um monarca absoluto, como era um monarca universal.

— E as estrelas obedecem-vos?

— Com certeza — garantiu o rei. — Obedecem automaticamente. Não tolero a indisciplina.

Um tal poder maravilhou o principezinho. Se ele detivesse um poder assim, teria podido assistir, não a quarenta e três, mas a setenta e dois, ou mesmo a cem, ou até a duzentos pores do sol no mesmo dia, sem sequer precisar de puxar a cadeira! E, como a lembrança do seu pequeno planeta abandonado o deixara um pouco triste, arriscou pedir um favor ao rei:

— Queria ver um pôr do sol... Fazei-me a vontade... Ordenai ao sol que se ponha...

— Se ordenasse a um general que se pusesse a voar de flor em flor, como uma borboleta, ou que escrevesse um melodrama, ou que se transformasse numa ave marinha, e se o general não executasse a ordem recebida, quem estaria a agir mal, seria eu ou seria ele?

— Serieis vós — disse, convictamente, o principezinho.

— Exato. Só devemos exigir dos outros, aquilo que os outros podem dar — explicou o rei. A autoridade depende, em primeiro lugar, da razão. Se mandasses o teu povo ir atirar-se ao mar, o povo faria uma revolução. Só tenho o direito de exigir obediência porque as minhas ordens são razoáveis.

— Então e o meu pôr do sol? — recordou o principezinho, que nunca se esquecia de uma pergunta que tivesse feito.

— Vais ter o teu pôr do sol. Vou exigi-lo. Vou porém aguardar, de acordo com a sabedoria do meu governo, que as condições sejam favoráveis.

— E quando será isso? — quis saber o principezinho.

— Hum! Hum! — fez o rei, enquanto consultava um espesso almanaque. — Hum! Hum! Ora isso será lá para… para… Será lá para as sete horas e quarenta, desta noite! E então verás como sou fielmente obedecido.

O principezinho bocejou. Teve pena desse pôr do sol adiado. Por outro lado, começava a sentir-se aborrecido.

— Já não tenho nada a fazer aqui — disse ele ao rei. — Torno a partir!

— Não partas — disse logo o rei, que estava muito vaidoso de ter um súbdito. — Não partas que eu faço-te ministro!

— Ministro de quê?

— De… Da justiça!

— Mas não há ninguém para julgar!

— Isso não se sabe — contrariou o rei. — Ainda não dei a volta completa ao meu reino. Estou velho, não tenho espaço para uma carroça e andar muito cansa-me.

— Ah! Mas eu já vi tudo — disse o principezinho, inclinando-se para dar uma olhadela ao outro lado do planeta. — Também não há ninguém por aquelas bandas…

— Serás então juiz de ti próprio — insistiu o rei. — É o mais difícil. É bem mais difícil julgarmo-nos a nós próprios do que julgarmos outrem. Se conseguires julgar-te bem, é porque és um verdadeiro sábio.

— Mas eu — contrapôs o principezinho — posso julgar-me a mim próprio em qualquer lugar. Não é preciso viver aqui.

— Hum! Hum! — fez o rei. — Estou convencido de que algures no meu planeta vive um rato já velho. Ouço-o de noite. Irás julgar esse velho rato. Poderás condená-lo à morte, de tempos a tempos. Desse modo, a vida dele dependerá da tua justiça. Mas acabarás por conceder-lhe sempre o perdão, para o poupares. É que só existe um.

— A mim não me agradam nada as condenações à morte — retorquiu o principezinho. — Tenho impressão que é melhor partir.

— Não! — teimou o rei.

O principezinho, que até já tinha tudo preparado, foi cuidadoso em não magoar o velho monarca:

— Se Vossa Majestade deseja ser obedecido exemplarmente, deverá dar-me uma ordem razoável. Poderá, por exemplo, ordenar-me que parta dentro de um minuto. Parece-me que há condições favoráveis a isso…

Como não obteve resposta do rei, o principezinho ainda hesitou mas depois, com um suspiro, decidiu partir.

— Nomeio-te meu embaixador! — gritou o rei, numa derradeira tentativa.

E lá ficou, naquela sua pose autoritária.

«Os crescidos são mesmo estranhos» foi o principezinho a pensar com os seus botões durante a viagem.

O segundo planeta era habitado por um vaidoso:

— Oh! Oh! Aí vem um admirador visitar-me! — alvoroçou-se o vaidoso, assim que avistou ao longe o principezinho. Isto porque, para os vaidosos, todos os outros homens são admiradores.

— Bom dia — disse o principezinho. — Tens um chapéu muito cómico.

— É para agradecer — respondeu o vaidoso. — É para agradecer quando me elogiam. Infelizmente, nunca passa por aqui ninguém.

— Ah, sim? — fez o principezinho, sem perceber.

— Bate com as tuas mãos uma na outra — sugeriu então o vaidoso.

O principezinho bateu com as mãos uma na outra. O vaidoso agradeceu com um modesto aceno de chapéu.

«Sempre é mais divertido que a visita ao rei», achou o principezinho. E recomeçou a bater palmas. O vaidoso recomeçou a agradecer, levantando a aba do chapéu.

Passados cinco minutos deste exercício, o principezinho fartou-se da monotonia do jogo:

— E o que é preciso fazer para o teu chapéu cair? — quis ele saber.

Só que o vaidoso não percebeu. Os vaidosos só percebem os elogios.

— Tu admiras-me mesmo a valer? — interrogou ele o principezinho.

— O que é que significa «admirar»?

— Admirar significa reconhecer que eu sou o homem mais belo, mais bem vestido, mais rico e mais inteligente do planeta.

— Mas tu és o único no teu planeta!

— Faz-me a vontade. Admira-me à mesma!

— Está bem, eu admiro-te — cedeu o principezinho, encolhendo os ombros. — Mas porque é que isso te faz tanta diferença?

E o principezinho foi-se embora.

«Não há dúvida de que os crescidos são mesmo muito esquisitos», foi ele a pensar durante a viagem.

XII

O planeta seguinte era habitado por um bêbedo. Esta visita foi bastante curta mas mergulhou o principezinho numa enorme melancolia:

— O que estás a fazer? — perguntou ele ao
bêbedo, que se tinha instalado diante de uma
coleção de garrafas vazias e de uma coleção de
garrafas cheias.

— Estou a beber — respondeu o bêbedo, com um ar
sombrio.

— E porque bebes? — quis perceber o principezinho.

— Para esquecer — explicou o bêbedo.

— Esquecer o quê? — prosseguiu o principezinho,
já com pena dele.

— Para esquecer que tenho vergonha — confessou o
bêbedo, baixando a cabeça.

— Vergonha de quê? — tentou saber mais o
principezinho, com vontade de ajudar.

— Vergonha de beber! — rematou o bêbedo,
fechando-se num silêncio definitivo.

E o principezinho foi-se embora, confuso.

«Os crescidos são mesmo muito, muito esquisitos», continuou ele a pensar durante a viagem.

XIII

O quarto planeta era o do homem de negócios. Este homem andava tão ocupado que nem se dignou a levantar a cabeça à chegada do principezinho.

— Bom dia — disse-lhe o recém-chegado. — Tens o cigarro apagado.

— Três e dois são cinco. Cinco e sete, doze. Doze e três, quinze. Bom dia. Quinze e sete, vinte e dois. Vinte e dois e seis, vinte e oito. Não há tempo para tornar a acendê-lo. Vinte e seis e cinco, trinta e um. Ufa! Ora bem, isto faz quinhentos e um milhões, seiscentos e vinte e dois mil, setecentos e trinta e um.

— Quinhentos milhões de quê?

— Hã? Ainda aí estás? Quinhentos milhões de... Já nem sei... Tenho tanto trabalho! Eu cá sou muito sério, não me distraio com ninharias! Dois e cinco, sete...

— Quinhentos e um milhões de quê? — insistiu o principezinho, que nunca na vida desistira de uma pergunta que tivesse feito.

O homem de negócios levantou a cabeça:

— Durante os cinquenta e quatro anos em que morei neste planeta, só fui incomodado três vezes. A primeira vez foi há vinte e dois anos, por um besouro que caiu sabe Deus de

onde. Fazia um barulho insuportável e por causa dele enga-
nei-me em quatro contas. A segunda vez foi há onze anos,
por uma crise de reumatismo. O exercício físico faz-me falta
mas não tenho tempo para vadiagens. Eu cá sou muito sério.
A terceira vez foi… foi agora! Ora, estava eu a dizer, quinhentos e um milhões…

— Milhões de quê?

O homem de negócios percebeu que não havia qualquer hipótese de ser deixado em paz:

— Milhões daquelas coisinhas que às vezes se veem no céu.

— De moscas?

— Não, não. Daquelas coisinhas que brilham.

— De abelhas?

— Não, não. Daquelas coisinhas douradas que arrastam os vagabundos para sonhos e devaneios. Mas eu cá sou muito sério! Tenho lá tempo para devaneios…

— Ah! As estrelas?

— É isso mesmo. As estrelas.

— E que fazes tu com quinhentos milhões de estrelas?

— Quinhentos e um milhões, seiscentas e vinte e duas mil, setecentas e trinta e uma. Eu cá sou muito sério e muito rigoroso.

— Mas que fazes tu com essas estrelas?

— O que faço com elas?

— Sim.

— Nada. Sou dono delas.

— És dono das estrelas?

— Sim.

— Mas eu conheci um rei que…

— Os reis não são donos de nada. Eles «reinam» sobre. É muito diferente.

— Mas de que é que te serve seres dono das estrelas?

— Serve-me para ser rico.

— E de que é que te serve seres rico?

— Serve para comprar mais estrelas, se alguém por acaso descobrir outras.

«Este aqui» pensou logo o principezinho, «tem um raciocínio parecido ao do bêbedo».

Apesar de tudo, continuou a colocar questões:

— Mas como é que se pode ser dono das estrelas?

— De quem são elas? — resmungou o homem de negócios.

— Não sei. De ninguém.

— Então são minhas, porque pensei nisso primeiro.

— E isso chega?

— Chega e sobra. Quando encontras um diamante que não é de ninguém, passa a ser teu. Quando encontras uma ilha que não é de ninguém, passa a ser tua. Quando és o primeiro a ter uma ideia, podes registá-la e ela é tua. Eu cá sou dono das estrelas porque ninguém antes de mim se lembrou de as possuir.

— Isso é verdade — reconheceu o principezinho. — Mas o que fazes com elas?

— Faço a gestão. Conto-as e torno a contá-las — explicou o homem de negócios. — É complicado. Mas sou um homem muito sério!

O principezinho, porém, ainda não se dava por satisfeito.

— Mas se eu for dono de um cachecol, posso pô-lo ao pescoço e levá-lo comigo. E se eu for dono de uma flor, posso colhê-la e levá-la comigo. Só que tu não podes colher as tuas estrelas!

— Pois não. Mas posso depositá-las no banco.

— O que é que isso quer dizer?

— Quer dizer que escrevo num papelinho o número de estrelas que tenho. Depois, ponho o papelinho numa gaveta e fecho-a à chave.

— Só isso?

— Isso chega!

«Até tem piada», pensou o principezinho. «E é bastante poético. Mas não é lá muito sério.»

O principezinho tinha sobre as coisas sérias uma opinião muito diferente da dos crescidos.

— Sou dono de uma flor — prosseguiu ele — que vou regando todos os dias. Sou dono de três vulcões aos quais limpo a chaminé todas as semanas. Até limpo aquele que está extinto. Nunca se sabe. É útil para os meus vulcões, é útil para a minha flor que eu seja dono deles. Mas tu não és útil às estrelas...

O homem de negócios abriu a boca para falar mas como não lhe saiu resposta, o principezinho foi-se embora.

«Não há a menor dúvida de que os crescidos são realmente extraordinários», pensou ele de novo, durante a viagem.

XIV

O quinto planeta era fora do vulgar. Era o mais pequeno de todos. Apenas havia espaço suficiente para lá colocar um candeeiro de rua e um acendedor de candeeiros. O principezinho não era capaz de compreender de que é que servia ter, num dado sítio do céu, num planeta sem casas, nem população, um candeeiro de rua e um acendedor de candeeiros. No entanto, interrogava-se:

«É bem possível que este homem seja absurdo. Seja como for, é menos absurdo que o rei, que o vaidoso, que o homem de negócios e que o bêbedo. Ao menos o seu trabalho faz algum sentido. Quando acende o candeeiro é como se fizesse nascer mais uma estrela ou uma flor. Quando apaga o candeeiro, faz adormecer a flor ou a estrela. É uma ocupação muito bonita. E porque é bonita é imensamente útil.»

Ao aproximar-se do planeta, cumprimentou o acendedor com todo o respeito:

— Bom dia. Porque apagaste mesmo agora o teu candeeiro?

— São as ordens — esclareceu o acendedor. — Bom dia.

— E quais são as ordens?

— São para apagar o meu candeeiro. Boa noite.

E tornou a acendê-lo.

— Mas porque é que o tornaste a acender?

— São as ordens — respondeu o acendedor.

— Não percebo — disse o principezinho.

— Não há nada para perceber — desvalorizou o acendedor. — Ordens são ordens. Bom dia.

E apagou o candeeiro.

A seguir, enxugou a testa com um lenço aos quadrados vermelhos.

— Ando a desempenhar um serviço terrível. Antigamente até era razoável. Apagava ao amanhecer e acendia ao entardecer. Ficava com o resto do dia para descansar e o resto da noite para dormir...

— Mas, depois dessa época, as ordens mudaram?

48

Ando a desempenhar um serviço terrível.

— Não mudaram nada! — disse o acendedor. — Isso é que é dramático! De ano para ano, o planeta passou a girar cada vez mais depressa mas as ordens são as mesmas!

— E então? — quis perceber o principezinho.

— E então que agora dá uma volta por minuto e eu não tenho um segundo de descanso! Acendo e apago uma vez por minuto!

— Que engraçado! Os teus dias duram um minuto!

— Não tem graça nenhuma — contrariou o acendedor. — Fez agora um mês que começámos a nossa conversa.

— Um mês?

— Sim, trinta minutos – trinta dias! Boa noite.

E reacendeu novamente o candeeiro.

O principezinho observou-o e simpatizou com este acendedor absolutamente fiel às suas ordens. Recordou-se então dos pores do sol que ele próprio costumava procurar, puxando a sua cadeira. Resolveu ajudar o amigo:

— Sabes… Pensei numa forma de conseguires descansar quando quiseres…

— Quero sempre! — afirmou o acendedor.

Isto porque é possível ser, ao mesmo tempo, fiel e preguiçoso.

O principezinho prosseguiu:

— O teu planeta é de tal modo pequeno que se percorre em três passos. Só tens de caminhar devagar o suficiente para ficares sempre ao sol. Quando quiseres descansar, só tens de caminhar – e assim o dia durará o tempo que quiseres.

— Só que isso não adianta nada — disse o acendedor. — Aquilo que mais gosto na vida é de dormir.

— Que pouca sorte — disse o principezinho.

— Que pouca sorte — concordou o acendedor. — Bom dia.

E apagou o candeeiro.

«Aquele homem», concluiu o principezinho, no decorrer da sua viagem, «seria desprezado por todos os outros, pelo rei, pelo vaidoso, pelo bêbedo, pelo homem de negócios. No entanto, é aquele que me parece menos ridículo. Talvez, quem sabe, por ser o único que se dedica a outra coisa que não ele próprio.»

Suspirou, cheio de pena, e pensou ainda:

«Aquele homem é o único de quem eu podia ter sido amigo. Mas o planeta dele é realmente muito pequeno. Não há lugar para dois...»

Aquilo que o principezinho não queria admitir é que tinha pena de deixar aquele planeta devido, sobretudo, aos seus benditos mil e quatrocentos pores do sol em cada vinte e quatro horas!

XV

O sexto planeta era um planeta dez vezes mais vasto. Era habitado por um ancião que escrevia pesados calhamaços.

— Olha! Ali vem um explorador! — exclamou ele, ao avistar o principezinho.

O principezinho sentou-se em cima da mesa, ainda um pouco ofegante. A viagem até ali fora tão longa!

— De onde vens tu? — perguntou o ancião.

— Que livro tão grande é esse? — inquiriu o principezinho. — O que fazes aqui?

— Sou geógrafo — explicou o ancião.

— O que é um geógrafo?

— É um sábio que sabe onde se localizam os mares, os rios, as cidades, as montanhas e os desertos.

— Que interessante — animou-se o principezinho. — Aqui está, enfim, uma profissão de verdade! — e pôs-se a olhar em redor do planeta do geógrafo. Nunca vira um planeta tão impressionante.

— O teu planeta é mesmo bonito. Existem cá oceanos?

— Não tenho como saber — declarou o geógrafo.

— Oh! (O principezinho ficou desiludido.) E montanhas?

— Não tenho como saber — repetiu o geógrafo.

— E cidades e rios e desertos?

— Também não tenho como saber — admitiu o geógrafo.

— Mas tu és geógrafo!

— Exato — disse o geógrafo — mas não sou explorador. Os exploradores fazem-me uma falta tremenda. Não é o geógrafo que vai fazer a contagem das cidades, dos rios, das montanhas, dos mares, dos oceanos e dos desertos. O geógrafo é importante demais para andar por aí a deambular.

Nunca sai do seu escritório. Mas é lá que recebe os exploradores. Faz-lhes questionários e toma nota das recordações que eles lhe apresentam. E se as recordações de um deles lhe parecem interessantes, o geógrafo manda fazer um inquérito ao caráter do explorador.

— Mas porquê?

— Porque um explorador mentiroso daria origem a autênticas catástrofes nos livros de geografia. O mesmo se passaria com um explorador com problemas de bebida.

— E porquê? — quis saber o principezinho.

— Porque os bêbedos veem a dobrar. Assim, o geógrafo assinalaria duas montanhas num local onde afinal só existe uma.

— Conheço alguém que daria um mau explorador — lembrou-se o principezinho.

— É possível. Em suma, quando o caráter do explorador parece correto, faz-se um inquérito sobre a sua descoberta.

— E vão visitá-la?

— Não. Isso é muito complicado. Mas exige-se ao explorador que forneça provas. Se se tratar, por exemplo, da descoberta de uma montanha colossal, exige-se que ele traga de lá pedregulhos colossais.

O geógrafo calou-se repentinamente.

— Mas tu vens de longe! Tu és explorador! Tu vais descrever-me o teu planeta!

E o geógrafo, tendo aberto o livro de registos, afiou melhor o seu lápis. Os relatos dos exploradores anotam-se primeiro a lápis. Há que esperar que o explorador forneça provas, para só depois passar tudo a tinta.

— Então? — disse o geógrafo, impaciente.

— Bom — começou o principezinho — o lugar onde vivo não é assim muito interessante, é bem pequenino. Tenho três vulcões. Dois vulcões em atividade e um vulcão extinto. Mas nunca se sabe.

— Nunca se sabe — concordou o geógrafo.

— Também tenho uma flor.

— Não tomamos nota das flores — disse o geógrafo.

— Porquê? É o que lá há de mais bonito!

— Porque as flores são efémeras.

— O que é que significa «efémera»?

— Os compêndios de geografia — ensinou o geógrafo — são os mais preciosos de todos os livros. Nunca se desatualizam. É raríssimo uma montanha mudar de sítio. É raríssimo um oceano ficar esvaziado de água. Nós escrevemos coisas eternas.

— Mas os vulcões extintos podem acordar — interrompeu o principezinho. — O que é que significa «efémera»?

— Que os vulcões estejam extintos ou acordados, para nós, geógrafos, vai dar ao mesmo. O que conta, para nós, é a montanha. Essa nunca muda.

— Mas o que é que significa «efémera»? — persistiu o principezinho, que nunca na vida desistia de uma pergunta entretanto feita.

— Significa: «que está ameaçada de desaparecimento próximo».

— A minha flor está ameaçada de desaparecimento próximo?

— De facto.

«A minha flor é efémera», pensou o principezinho, «e conta apenas com quatro espinhos para se defender do mundo! E eu que a deixei só e desamparada no meu planeta!»

Esta foi a sua primeira sensação de arrependimento. Mas depressa ganhou novo alento:

— Que lugar me aconselhas a visitar? — perguntou ele.

— O planeta Terra — indicou o geógrafo. — Tem ótima reputação…

E o principezinho lá partiu, de pensamentos postos na sua flor.

XVI

O sétimo planeta foi portanto a Terra.

A Terra não é um planeta qualquer! Nela contabilizam-se cento e onze reis (sem esquecer, obviamente, os reis negros), sete mil geógrafos, novecentos mil homens de negócios, sete milhões e meio de bêbedos, trezentos e onze milhões de vaidosos, ou seja, cerca de dois mil milhões de crescidos.

Para vos dar uma ideia das dimensões da Terra, posso dizer-vos que, antes da invenção da eletricidade, era necessário contratar um verdadeiro exército composto por seiscentos e dois mil, quinhentos e onze acendedores de candeeiros, espalhados pelos seis continentes.

Visto de uma certa distância, isto tinha um efeito espetacular. As movimentações deste exército estavam sincronizadas como as de um bailado clássico. A abrir, surgiam os acendedores de candeeiros da Austrália e da Nova Zelândia. Uma vez terminados os seus trabalhos, estes acendedores iam todos dormir. Entravam então na dança os acendedores de candeeiros da China e da Sibéria. Após o que também eles se recolhiam aos bastidores. Era então a vez da atuação dos acendedores de candeeiros da Rússia e das Índias. Seguiam-se os da África e da Europa. A seguir, vinham os da América do Sul. Por fim, os da América do Norte. E nunca, mas nunca se enganavam na sua ordem de entrada em cena. Era grandioso.

Somente o acendedor do único candeeiro do Pólo Norte e o seu colega do único candeeiro do Pólo Sul levavam vidas desocupadas e despreocupadas: trabalhavam apenas duas vezes por ano.

XVII

Quando tentamos ser engraçados, por vezes mentimos um bocadinho. Não fui cem por cento honesto na história dos acendedores de candeeiros. Corro o risco de passar uma ideia errada do nosso planeta àqueles que não o conhecem. Os homens ocupam muito pouco espaço na Terra. Se os dois mil milhões de habitantes que povoam a Terra se pusessem todos de pé e muito juntinhos, como num comício ou num concerto, caberiam, à vontade, numa praça pública de vinte milhas de comprimento por vinte milhas de largura. Se quiséssemos, podíamos amontoar a humanidade inteira na mais minúscula ilhota do Pacífico.

É natural que os crescidos não acreditem nisto. Julgam que ocupam imenso espaço. Acham-se muito imponentes, como embondeiros. Vocês também podem sugerir-lhes que façam as contas. Como são apaixonados por números, eles vão adorar. Mas não percam o vosso tempo com um castigo destes. Vocês não precisam. Vocês confiam em mim.

Chegado à Terra, o principezinho ficou bastante surpreendido ao não ver ninguém. Receava até ter-se enganado no planeta quando um anel cor de lua deslizou por entre as areias.

— Boa noite — disse o principezinho, por uma questão de educação.

— Boa noite — disse a serpente.

— A que planeta vim eu parar? — perguntou o principezinho.

— Estás na Terra, em África — respondeu a serpente.

— Oh! Mas então… não há pessoas na Terra?

— Aqui é o deserto. Não há pessoas nos desertos. A Terra é grande — informou a serpente.

O principezinho sentou-se numa pedra e levantou os olhos para o céu:

— Pergunto-me — disse ele — se as estrelas brilham para que, um dia, cada um possa encontrar a sua. Repara no meu planeta. Está mesmo por cima de nós… Mas como está longe!

— É bem bonito — elogiou a serpente. — Que vens fazer aqui?

— Tenho dificuldades com uma flor — disse o principezinho.

— Oh! — fez a serpente.

E ficaram calados.

— Onde estão os homens? — disse enfim o principezinho, reatando o dialogo. — Andar pelo deserto é um bocado solitário…

— Andar entre os homens também — disse a serpente.

O principezinho ficou muito tempo a olhar para ela:

— És um bicho esquisito — comentou finalmente. — Fininha como um dedo…

— Mas mais poderosa que o dedo de um rei — afirmou a serpente.

O principezinho não evitou um sorriso:

— Não pareces assim tão poderosa… Nem sequer tens patas… Nem sequer podes viajar…

— Posso levar-te mais longe que um navio — garantiu a serpente.

Foi enrolar-se toda em torno do tornozelo do principezinho, como uma pulseira de ouro:

És um bicho esquisito — comentou finalmente.
— Fininha como um dedo…

— Aqueles em que toco, devolvo-os à terra de onde saíram — acrescentou. — Mas tu, tu és puro e vens de uma estrela...

O principezinho não pronunciou palavra.

— Fazes-me pena, assim tão frágil, nesta Terra de granito. Vou poder ajudar-te, um dia, se sentires muitas saudades do teu planeta. Eu posso...

— Oh! Já percebi perfeitamente — cortou o principezinho. — Mas porque falas sempre por enigmas?

— Tenho sempre a solução — disse a serpente.

E ficaram calados.

XVIII

O principezinho atravessou o deserto e não encontrou senão uma flor. Uma flor de três pétalas, uma flor sem interesse nenhum...

— Bom dia — disse o principezinho.

— Bom dia — disse a flor.

— Sabes onde estão os homens? — perguntou educadamente o principezinho.

Certo dia, a flor vira passar uma caravana:

— Os homens? Acho que existem uns seis ou sete. Reparei neles há muitos anos. Mas é impossível saber onde param. Vagueiam ao sabor do vento. Não têm raízes, isso prejudica-os imenso.

— Adeus — despediu-se o principezinho.

— Adeus — disse a flor.

XIX

O principezinho escalou uma grande montanha. As únicas montanhas que alguma vez vira foram os três vulcões que lhe davam pelo joelho. O vulcão extinto, aliás, costumava servir-lhe de banquinho para os pés. «Do topo de uma montanha alta como esta», calculou ele, «devo abarcar o planeta inteirinho e os homens todos...» Todavia, nada viu a não ser escarpas pontiagudas.

— Bom dia — disse ele, por uma questão de educação.

— Bom dia... Bom dia... Bom dia... — respondeu o eco.

— Quem és tu? — disse o principezinho.

— Quem és tu... Quem és tu... Quem és tu... — respondeu o eco.

— Querem ser meus amigos? Estou tão sozinho — disse ele.

— Estou tão sozinho... Estou tão sozinho... Estou tão sozinho... — respondeu o eco.

«Que planeta mais bizarro!» pensou ele. «É todo seco, todo aguçado, todo salgado. E os homens não têm imaginação. Repetem tudo o que ouvem… No meu planeta tinha uma flor: e ela era sempre a primeira a falar.»

XX

Acontece que o principezinho, após um prolongado percurso pelas areias, pelos rochedos e pelas neves, acabou por descobrir um caminho. E todos os caminhos vão dar aos homens.

— Bom dia — disse ele.

Era um jardim carregadinho de rosas.

— Bom dia — disseram as rosas.

O principezinho observou-as. Todas elas se pareciam com a sua flor.

— Quem são vocês? — perguntou ele, abismado.

— Nós somos rosas — disseram as rosas.

— Oh! — fez o principezinho…

E ficou tristíssimo. A sua flor tinha-lhe contado que era a única da sua espécie em todo o universo. Mas eis que ali estavam umas cinco mil, iguaizinhas, num só jardim!

«Se ela visse isto», refletiu ele, «ficaria tremendamente envergonhada… Teria um terrível ataque de tosse e fingiria estar quase a morrer, para escapar ao ridículo. E eu seria obrigado a fazer de conta que tratava dela porque senão, para me humilhar a mim também, ela podia deixar-se morrer de propósito...»

Continuou a sua reflexão: «Achava-me tão rico por possuir uma flor única, quando apenas tenho uma rosa banal.

«Que planeta mais bizarro!» pensou ele. «É todo seco, todo aguçado, todo salgado.»

Isto, mais os três vulcões que me dão pelo joelho, um dos quais pode estar eternamente extinto – isto não faz de mim um grande príncipe…» E, deitado na erva, ficou a chorar.

XXI

Foi então que apareceu a raposa.

— Bom dia — disse a raposa.

— Bom dia — respondeu amavelmente o principezinho mas, ao virar-se, não viu ninguém.

— Estou aqui — chamou a voz. — Debaixo da macieira.

— Quem és tu? — disse o principezinho. — És muito gira.

— Sou uma raposa — identificou-se a raposa.

— Vem brincar comigo — pediu o principezinho. — Estou tão triste…

— Não posso brincar contigo — recusou a raposa. — Ainda não fui cativada.

— Oh! Desculpa — disse o principezinho.

Porém, após curta pausa, perguntou:

— O que significa «cativar»?

— Tu não és daqui — deduziu a raposa. — Que procuras?

— Procuro os homens — explicou o principezinho. — O que significa «cativar»?

— Os homens — disse a raposa — têm espingardas e fazem caçadas. É uma maçada! Também fazem criação de galinhas. É o seu único interesse. Andas à procura de galinhas?

— Não — disse o principezinho. — Ando à procura de amigos. O que significa «cativar»?

— É uma coisa muito esquecida — respondeu a raposa. — Significa «criar laços…»

— Criar laços?

— É verdade — disse a raposa. — Por enquanto, tu para mim não és mais que um rapazinho igual a cem mil outros

rapazinhos. Eu não preciso de ti, nem tu precisas de mim. Para ti, eu não sou mais que uma raposa igual a cem mil outras raposas. Porém, se tu me cativares, iremos precisar um do outro. E tu, para mim, serás único no mundo. E eu, para ti, serei única no mundo…

— Começo a compreender — disse o principezinho. — Existe uma flor que… Acho que ela me cativou.

— É possível — disse a raposa. — Nesta Terra acontece tudo e mais alguma coisa…

— Oh! Mas não aconteceu nesta Terra — clarificou o principezinho.

A raposa ficou visivelmente intrigada.

— Foi noutro planeta?

— Foi.

— Há caçadores nesse planeta?

— Não.

— Que interessante! E galinhas?

— Não.

— Nada é perfeito — suspirou a raposa.

A raposa retomou a sua linha de raciocínio:

— A minha vida é monótona. Caço as galinhas, os homens caçam-me a mim. As galinhas são todas iguais e os homens são todos iguais. É por isso que acabo por me aborrecer. Mas se tu me cativares, serás como um raio de sol na minha vida. O som dos teus passos será diferente de todos os outros. Os outros passos fazem-me correr para dentro da toca; os teus vão fazer-me saltar cá para fora, como uma bela música. E repara! Estás a ver além, os campos de trigo? Eu não como pão. Para mim, o trigo é inútil. Os campos de trigo não me fazem lembrar nada. Até me dá pena! Mas tu tens cabelos cor de ouro. Portanto, que maravilhoso vai ser quando me cativares! O trigo, que é dourado, vai fazer-me lembrar de ti. E como vai encantar-me o barulho do vento brincando nas espigas…

A raposa calou-se e ficou muito tempo a olhar para o principezinho:

— Peço-te… Cativa-me! — disse ela.

— Gostava muito — disse o principezinho. — Mas tenho pouco tempo. Tenho amigos para descobrir e imensas coisas para conhecer.

— Só se conhecem as coisas que já cativámos — avisou a raposa. — Os homens agora não perdem tempo a conhecer nada. Vão às lojas e compram tudo pré-fabricado. Só que, como não há lojas de amigos, os homens já não têm amigos. Se queres um amigo, cativa-me!

— O que é preciso fazer? — quis saber o principezinho.

— É preciso ser muito paciente — ensinou a raposa. — Vais começar por te sentar mais afastado de mim, ali assim, na erva. Eu fico a ver-te pelo cantinho do olho e tu não precisas falar. A linguagem só gera mal-entendidos. Mas, de dia para dia, vais poder sentar-te um bocadinho mais perto…

No dia seguinte, o principezinho voltou.

— Era melhor apareceres sempre à mesma hora — propôs a raposa. — Se chegares, por exemplo, às quatro horas da tarde, começarei a ficar contente logo a partir das três. Quanto mais os minutos passarem, mais feliz ficarei. Às quatro em ponto, já andarei inquieta e agitada: pagarei caro o preço da felicidade! Mas se vieres num horário qualquer, não posso saber a que horas devo começar a arranjar o coração... É preciso ter rituais.

— O que é um ritual? — perguntou o principezinho.

—Também é outra coisa muito esquecida — disse a raposa. — É aquilo que torna certos dias diferentes dos outros dias, certas horas diferentes das outras horas. Por exemplo, os meus caçadores têm um ritual. Todas as quintas-feiras vão dançar com as raparigas da aldeia. E assim, todas as quintas são dias fantásticos! É quando vou passear pelas vinhas. Se os caçadores fossem dançar numa altura qualquer, os dias seriam todos iguais e eu nunca teria as minhas ricas férias!

Foi desta maneira que o principezinho cativou a raposa. E quando se aproximou a hora da partida:

— Oh! — fez a raposa. — Vou chorar...

— A culpa é tua — disse o principezinho. — Nunca te desejei mal nenhum mas tu quiseste que eu te cativasse...

— Claro que quis — disse a raposa.

— Mas agora vais chorar! — admirou-se o principezinho.

— Claro que vou — disse a raposa.

«Se chegares, por exemplo, às quatro horas da tarde,
começarei a ficar contente logo a partir das três.»

— Então não ganhaste nada com isso!

— Ganhei, sim — disse a raposa — por causa da cor do trigo.

E sugeriu:

— Vai ver novamente as rosas. Vais perceber que a tua é única no mundo. Depois volta para te despedires de mim e eu conto-te um segredo.

O principezinho foi de novo ver as rosas.

— Vocês não se parecem minimamente com a minha rosa, vocês ainda não me são nada — disse-lhes ele. — Ainda ninguém vos cativou, nem vocês cativaram ninguém. Vocês são como antes era a minha raposa. Não passava de uma raposa igual a cem mil outras. Mas fiz dela minha amiga e agora passou a ser única no mundo.

Claro que as rosas ficaram bastante ofendidas.

— Vocês são bonitas mas vazias — disse-lhes ainda. — Não se pode morrer por vocês. É evidente que alguém que vá simplesmente a passar pode achar a minha rosa igual ao vosso canteiro. Mas ela, e só ela, é mais importante que vocês todas juntas, porque foi ela que eu reguei. Porque foi ela que eu abriguei dentro da redoma. Porque foi ela que eu protegi com o biombo. Porque foi a ela que eliminei as lagartas (exceto duas ou três, para serem borboletas). Porque foi ela que eu ouvi a queixar-se e a gabar-se e até, raras vezes, a calar-se. Porque é a minha rosa.

Voltou então para junto da raposa:

— Adeus — disse o principezinho.

— Adeus — disse a raposa. — Já posso revelar-te o meu segredo. É muito simples: só se vê bem com o coração. O essencial é invisível aos olhos.

E, deitado na erva, ficou a chorar.

— O essencial é invisível aos olhos — repetiu o principezinho, para nunca mais se esquecer.

— Foi o tempo que dedicaste à tua rosa que agora a torna tão importante.

— Foi o tempo que dediquei à minha rosa que… — repetiu o principezinho, para nunca mais se esquecer.

— Os homens esqueceram-se desta grande verdade — disse a raposa. — Mas tu não deves esquecê-la: passas a ser para sempre responsável por aquilo que cativaste. És responsável pela tua rosa…

— Sou responsável pela minha rosa… — repetiu o principezinho, para nunca mais se esquecer.

XXII

— Bom dia — disse o principezinho.

— Bom dia — disse o agulheiro da linha férrea.

— O que é que fazes aqui? — disse o principezinho.

— Faço a triagem dos viajantes, por conjuntos de mil — explicou o agulheiro. Direciono os comboios que os trazem, tanto para direita, como para a esquerda.

E a passagem de um rápido, repleto de luzes e sons de trovão, fez tremer a cabine do ferroviário.

— Vão cheios de pressa — observou o principezinho. — O que procuram?

— Nem o próprio maquinista sabe — disse o agulheiro.

Também a trovejar, mas na direção oposta, passou um segundo rápido muito iluminado.

— Já de volta? — admirou-se o principezinho.

— Não são os mesmos — explicou o agulheiro. — É uma troca.

— Mas não estavam contentes no lugar onde estavam?

— Nunca ninguém está contente no lugar onde está — disse o agulheiro.

E ribombou o trovão de um terceiro rápido faiscante.

— Vão a perseguir os primeiros viajantes? — quis saber o principezinho.

— Não perseguem rigorosamente nada — disse o agulheiro. — Os que seguem lá dentro ou vão a bocejar ou já vão a dormir. Só as crianças vão de nariz esborrachado à janela.

— Só as crianças sabem bem aquilo que procuram — disse o principezinho. — Dedicam imenso tempo a uma boneca de trapos e ela torna-se muito importante e, se alguém lhes tira a boneca, choram…

— Têm muita sorte… — concluiu o agulheiro.

XXIII

— Bom dia — disse o principezinho.

— Bom dia — disse o comerciante.

Era um vendedor de comprimidos com fórmula melhorada, para matar a sede. Tomando um por semana, nunca mais se tem vontade de beber.

— Mas por que motivo vendes uma coisa dessas? — interessou-se o principezinho.

— Porque é uma enorme poupança de tempo — explicou o comerciante. — Os especialistas fizeram as contas. Poupa--se cinquenta e três minutos por semana.

— E o que é que se faz nesses cinquenta e três minutos?

— Faz-se aquilo que se quiser…

«Eu cá», refletiu o principezinho, «se tivesse cinquenta e três minutos para dispensar, caminharia bem devagar, direitinho a uma fonte…»

XXIV

Era o oitavo dia da minha avaria no deserto e acabara de ouvir a história do comerciante, enquanto bebia a última gota da minha reserva de água:

— As tuas recordações são todas muito bonitas — disse eu ao principezinho. — Só que ainda não reparei o avião, fiquei sem nada para beber e, se pudesse, acredita que seria o primeiro a caminhar devagar, direitinho a uma fonte!

— A minha amiga raposa disse-me que…

— Meu rapazinho, a raposa já não é para aqui chamada!

— Porquê?

— Porque vamos morrer de sede...

Como não percebeu o meu raciocínio, declarou:

— É bom ter tido um amigo, mesmo estando prestes a morrer. Eu fico contente de ter tido uma amiga raposa...

«Ele não mede os perigos», pensei eu. «E também nunca tem nem fome, nem sede. Um raiozinho de sol é quanto lhe basta...»

Ele fitou-me e adivinhou os meus pensamentos:

— Também tenho sede... Vamos procurar um poço.

Fiz um gesto de desistência: era um completo disparate ir à procura de um poço, inteiramente à toa, na imensidão do deserto. Apesar disso, pusemo-nos em marcha.

Após caminharmos horas a fio, em silêncio, a noite caiu e as estrelas começaram a brilhar. Estando eu com uma ponta de febre, por causa da sede, tudo aquilo já me parecia um sonho. As palavras do principezinho ficaram a dançar na minha mente:

— Quer dizer que afinal também tens sede? — perguntei-lhe.

Ele, porém, não respondeu à pergunta. Disse apenas:

— A água também pode ser boa para o coração...

Não percebi aquela resposta mas calei-me... Sabia perfeitamente que não valia a pena interrogá-lo.

Ele estava exausto e sentou-se. Sentei-me a seu lado. Após uma pausa, afirmou:

— As estrelas são belas por causa de uma flor que nem se vê...

Respondi: «Pois é», e fiquei a observar, sem falar, as ondas de areia à luz do luar.

75

— O deserto é bonito — comentou ele.

Era verdade. Sempre adorei o deserto. Uma pessoa senta-se numa duna de areia. Não se vê nada. Não se ouve nada. No entanto, há qualquer coisa que resplandece, em surdina...

— O que torna bonito o deserto — continuou o principezinho — é que nele se esconde, algures, um poço...

Fiquei surpreso por compreender, de súbito, aquele misterioso esplendor das areias. Quando era pequeno, morava numa casa muito antiga, na qual, segundo a lenda, estava enterrado um tesouro. É óbvio que nunca ninguém o conseguiu encontrar e o mais certo até é nunca ninguém o ter procurado. Mas isto dava um enorme encanto a toda a casa. A minha casa escondia um segredo no fundo do seu coração...

— Sim! — alinhei com o principezinho. — Quer se trate de uma casa, das estrelas ou do deserto, aquilo que os torna belos é invisível!

— Ainda bem que concordas com a minha raposa — regozijou-se ele.

Como o principezinho adormeceu, tomei-o nos braços e continuei a caminhada. Comovi-me. Parecia que carregava comigo um tesouro frágil. Tive mesmo a sensação de que não havia nada de mais frágil à face da Terra. À luz da lua, pude observar aquele rosto pálido, aqueles olhos cerrados, aquelas mechas de cabelo que tremiam ao vento e pensei: «O que aqui vejo não passa de uma concha. O mais importante é invisível...»

E como os seus lábios entreabertos esboçavam um semissorriso, pensei ainda: «Aquilo que mais me comove neste pequeno príncipe adormecido é a sua fidelidade a uma flor, é a imagem de uma rosa que resplandece nele como a chama de uma candeia, mesmo enquanto dorme...» E pressenti-lhe uma fragilidade ainda maior. É preciso proteger as candeias com toda a cautela: uma rajada de vento pode facilmente apagá-las...

E, assim caminhando, encontrei o poço ao despontar do dia.

XXV

Os homens — lamentou o principezinho — enfiam-se em comboios rápidos mas já nem sabem aquilo que procuram. Sempre agitados, sempre às voltas...

Rematou, dizendo:

— Não vale a pena...

O poço a que tínhamos chegado não se parecia nada aos poços do Sara. Os poços do Sara são uns buracos simples, escavados na areia. Este parecia um poço de aldeia. Não havia, contudo, nenhuma aldeia em redor e até julguei que estava a delirar.

— É muito estranho — fiz notar ao principezinho. — Está tudo pronto: a roldana, o balde e a corda...

Ele riu-se, mexeu na corda, acionou a roldana. E a roldana rangeu, como rangem os velhos cata-ventos quando o vento se deixa dormir em demasia.

— Estás a ouvir? — alegrou-se o principezinho. — Acordámos este poço e ele pôs-se a cantar...

Queria evitar que ele fizesse esforços.

— Deixa que eu faço — insisti. — É pesado demais para ti.

Lentamente, fui içando o balde até à borda do poço. Ali o pousei, bem seguro. O canto da roldana persistia nos meus ouvidos e na água, que ainda estremecia, via estremecer o sol.

— Essa água faz-me sede — chamou o principezinho. — Dá-me de beber…

E percebi de que é que ele tinha andado à procura!

Levei-lhe o balde aos lábios. Bebeu, de olhos fechados. A doçura daquele sabor foi uma autêntica festa. Aquela água era mais do que um mero alimento. Nascera da caminhada sob as estrelas, do canto da roldana, do esforço dos meus braços. Era boa para o coração, como uma prenda. Quando era pequeno, as luzes da árvore de Natal, a música da Missa do Galo, a ternura dos sorrisos, tudo alimentava o esplendor do presente de Natal que recebia.

— Os homens do teu planeta — disse o principezinho — plantam cinco mil rosas no mesmo jardim… E nem aí encontram aquilo que procuram…

— Não encontram, não — admiti.

— No entanto, aquilo que procuram pode encontrar-se numa só rosa ou num trago de água…

— Pois pode — disse eu.

O principezinho acrescentou:

— Mas os olhos são cegos. É preciso procurar com o coração.

Eu tinha matado a sede. Respirava normalmente. A areia, ao amanhecer, fica da cor do mel. Estava satisfeito de ali estar, a contemplar aquela cor de mel. Porque será, então, que senti tanta pena…

Ele riu-se, mexeu na corda, acionou a roldana.

— Tens de cumprir a tua promessa — disse carinhosamente o principezinho, que viera sentar-se outra vez ao pé de mim.

— Qual promessa?

— Tu sabes... Um açaime para a minha ovelha... Sou responsável por aquela flor!

Tirei dos bolsos os esboços dos meus desenhos. O principezinho reparou neles e disse, a rir:

— Os teus embondeiros mais parecem couves...

— Oh!

E eu que tinha tanto orgulho naqueles embondeiros!

— A tua raposa... Mas que orelhas... Parecem chifres... E são compridas demais!

Continuou a rir.

— Estás a ser injusto, meu rapazinho, eu nunca soube desenhar nada, além de jiboias fechadas e jiboias abertas.

— Claro, não faz mal — confortou-me ele. — As crianças compreendem.

Rabisquei então um açaime. E foi de coração apertado que lho entreguei:

— Tu tens planos que eu desconheço...

Sem me responder, recordou:

— Sabes, amanhã será o aniversário da minha queda na Terra...

Fez um silêncio para depois acrescentar:

— Caí muito perto daqui...

E corou.

De novo, e sem saber porquê, senti um desgosto imenso... Surgiu-me, entretanto, a dúvida que lhe coloquei:

— Então não era por acaso que, há oito dias, na manhã em que te conheci, tu andavas a passear assim, sozinho, a milhas e milhas de qualquer lugar habitado. Estavas a voltar ao local da queda?

O principezinho tornou a corar.

Hesitante, ainda acrescentei:

— Por causa, talvez, do aniversário?...

O principezinho corou novamente. Ele nunca respondia às perguntas mas, quando coramos, isso significa «sim», certo?

— Ah! — fiz eu. — Tenho medo...

Ele apenas disse, laconicamente:

— É melhor ires trabalhar. Tens de ir para junto da tua máquina. Espero por ti aqui. Volta amanhã, à tardinha...

Não fiquei nada descansado. Lembrava-me constantemente da raposa. Se nos deixamos cativar, corremos o risco de acabar a chorar...

XXVI

Havia, ao lado do poço, um muro de pedra, em ruínas. Quando regressei do meu trabalho, no dia seguinte ao entardecer, avistei de longe o meu principezinho sentado no cimo do velho muro, com as pernas pendentes. E apercebi-me de que estava a conversar:

— Então não te lembras? — dizia ele. — Não foi bem aqui.

Decerto que uma outra voz respondeu pois o principezinho teve de insistir:

— Sim! Sim! Não tenho dúvida: o dia é este, o sítio é que não.

Continuei a caminhar na direção do muro. Não conseguia ver nem ouvir mais ninguém ali. Contudo, o principezinho prosseguia a discussão:

— … e não há que enganar. Basta veres onde começa o meu rasto na areia e esperares aí por mim. Hoje à noite, lá estarei.

Já me encontrava a vinte metros do muro e continuava sem ver vivalma.

Após um silêncio, o principezinho tornou a falar:

— E o teu veneno é bom? De certeza que não me vais fazer sofrer muito tempo?

Estaquei, com um aperto no coração, embora não percebesse o que se passava.

— Mas agora vai-te embora — pediu ele. — Quero descer daqui!

Dirigi instintivamente o olhar para a base do muro e até dei um salto! Lá estava ela: uma serpente amarela, daquelas que executam uma pessoa em trinta segundos, toda erguida para o principezinho. Desatei a correr, enquanto remexia nos bolsos à procura do meu revólver, mas, ouvindo-me aproximar, a serpente deixou-se deslizar suavemente pela areia, como uma vaga que morre na praia, e, sem pressas, esgueirou-se por entre as pedras, com um ligeiro som metálico.

Alcancei o muro mesmo a tempo de amparar o meu principezinho, pálido como a neve.

— Mas que história é essa? Agora deu-te para falar com serpentes?

Mas agora vai-te embora — pediu ele. — Quero descer daqui!

Desfiz o nó do seu inseparável cachecol amarelo. Humedeci-lhe as têmporas e dei-lhe de beber. Depois disso, nem me atrevi a perguntar mais nada. Olhou-me com ar grave e abraçou-me pelo pescoço. O bater do seu coração parecia o de um passarinho moribundo, atingido a tiros de caçadeira. Disse-me:

— Ainda bem que achaste o que faltava à tua máquina. Vais poder voltar para casa...

— Como é que sabes isso?

Vinha precisamente anunciar-lhe que, contra todas as expectativas, a minha reparação fora um êxito!

Não me respondeu à pergunta mas adiantou:

— Hoje, também eu vou regressar a casa...

E murmurou, mais abatido:

— É muito mais distante... É muito mais difícil...

Eu pressentia que alguma coisa extraordinária se passava. Apertei-o contra mim, como a uma criança pequenina, e tive a nítida impressão de que ele me escorria dos braços, sugado para um abismo, sem que pudesse impedi-lo...

O seu olhar era sério, perdido nas lonjuras:

— Tenho a tua ovelha. E tenho a caixa para a ovelha. E tenho o açaime... — lembrou, com um sorriso melancólico.

Esperei. Demorou bastante mas, a pouco e pouco, senti que o seu corpo recuperava o calor:

— Meu rapazinho, deves ter tido tanto medo...

É claro que teve medo! Mas riu-se, gentilmente:

— Esta noite, vou ter muito mais medo...

Uma vez mais, a sensação de algo irreparável deixou-me arrepiado. E percebi que não suportava a ideia de nunca mais ouvir aquele riso. Para mim, era como uma fonte no meio do deserto.

— Meu rapazinho, quero continuar a ouvir-te rir assim…

Ele, porém, afirmou:

— Faz um ano, esta noite. A minha estrela vai ficar exatamente por cima do sítio onde caí, no ano passado…

— Meu rapazinho, essa história da serpente, do regresso a casa e da estrela não será apenas um sonho mau?

Não me respondeu mas relembrou:

— Aquilo que é importante, não se vê…

— É verdade…

— É o que se passa com a flor. Se amas uma flor que se encontra numa estrela, que delícia é, à noite, contemplar o céu. Todas as estrelas ficam em flor.

— É verdade…

— É o que se passa com a água. A que tu me deste a beber era como uma música, por causa da roldana e da corda… Lembras-te? Soube tão bem…

— É verdade…

— À noite, podes olhar para as estrelas. O meu planeta é muito pequenino para conseguires distingui-lo daqui. É melhor assim. Para ti, a minha estrela será uma entre as estrelas. Por isso, vais gostar de as ver a todas… Todas elas serão tuas amigas. E ainda te vou dar uma prenda — prometeu, a rir.

— Oh, rapazinho, meu rapazinho, gosto tanto de te ouvir rir!

— É justamente essa, a minha prenda… E vai passar-se o mesmo que com a água…

— O que queres dizer?

85

— As estrelas são diferentes consoante as pessoas. Para umas, as que viajam, as estrelas são guias. Para outras, não são mais que pequenas luzinhas. Para outras, mais sábias, são problemas científicos. Para o meu homem de negócios, eram de ouro. Mas todas estas estrelas estão caladas. Tu, e só tu, terás estrelas diferentes das das outras pessoas…

— O que queres dizer?

— Quando olhares para o céu, de noite, como eu estarei a viver numa delas, como eu estarei a rir numa delas, para ti será como se todas as estrelas também rissem! Tu, e só tu, terás estrelas que sabem rir!

O seu riso não parava.

— Quando ficares mais consolado (acabamos sempre por nos consolar) ficarás feliz de me teres conhecido. Continuarás a ser meu amigo. Terás vontade de te rir comigo. Por vezes, abrirás a janela, só porque sim, porque te apetece… Os teus amigos ficarão espantados de te ver rir, a olhar para o céu. Mas então, podes dizer-lhes: «Sim, as estrelas dão-me sempre vontade de rir!». E eles vão julgar que és doido. Que bela partida para eu te pregar, hã?

E riu, sem parar.

— Será como se te tivesse dado um montão de pequenos guizos cheios de risos, em vez das estrelas…

Riu um pouco mais. A seguir, ficou sério:

— Esta noite… Sabes… Não venhas.

— Não vou abandonar-te.

— É que vou ficar com um ar adoentado… Vou ficar com ar de quem está a morrer. Mas é mesmo assim. Não venhas ver, não vale a pena…

— Não vou abandonar-te.

Ficou preocupado.

— Ouve o que te digo… Também é por causa da serpente. Não quero que ela te morda… As serpentes são más. Podem morder só porque lhes apetece…

— Não vou abandonar-te.

Mas ocorreu-lhe uma teoria que o reconfortou:

— Pensando bem, não têm veneno que chegue para a segunda mordedura…

Nessa noite, não vi quando ele se pôs a caminho. Escapuliu-se sem o menor ruído. Quando consegui alcançá-lo, ia ele a andar num passo rápido e decidido. Disse-me apenas:

— Ah! Estás aí…

Quis ir de mão dada comigo. Mas seguia angustiado:

— Fizeste mal. Vais sentir pena. Vou ter ar de quem já morreu, o que não será verdade…

Fiquei calado.

— Compreendes, não é? É uma grande distância. Não posso levar comigo este corpo. É pesado demais.

Fiquei calado.

— E ele será como uma velha concha abandonada. As conchas vazias não são coisas tristes…

Fiquei calado.

Notei-o um pouco desencorajado mas fez mais um esforço:

— Vai ser tudo muito sereno, sabes. Eu também voltarei a contemplar as estrelas. E todas as estrelas serão poços com uma roldana enferrujada. Todas as estrelas me vão dar imensa vontade de beber…

Fiquei calado.

— Vai ser tão divertido! Tu terás quinhentos milhões de guizos, eu terei quinhentos milhões de fontes...

Também ele ficou calado porque começou a chorar...

— É ali. Deixa-me dar uns passos sozinho.

Mas sentou-se porque teve medo.

Ainda me disse:

— Sabes... A minha flor... Sou responsável por ela! E ela é tão, tão frágil! E tão, tão ingénua! Tem só quatro espinhozinhos de nada para se proteger do mundo...

Foi a vez de eu me sentar, mas porque fiquei sem forças nas pernas. Rematou:

— E pronto. É tudo...

Hesitou ligeiramente mas tornou a pôr-se de pé. Deu um passo. Eu nem conseguia mexer um músculo.

Tudo se resumiu a um clarão amarelo que lhe rondou o tornozelo. Ele permaneceu um instante imóvel. Nem sequer gritou. Nem sequer fez barulho, graças à areia. Tombou, serenamente, como tombam as árvores.

XXVII

E agora, já se sabe, passaram seis anos... Nunca tinha contado esta história. Os camaradas que me receberam de volta encheram-se de alegria por me verem vivo. E eu, cheio só de tristeza, justificava-me: «É do cansaço...».

Agora, já ando relativamente mais consolado. Ou seja... não totalmente. Sei, todavia, que ele regressou ao seu planeta

Tombou, serenamente, como tombam as árvores.

pois, ao nascer do dia, não lhe encontrei o corpo. Afinal não era um corpo assim tão pesado… E, à noite, delicio-me a ouvir as estrelas. Um concerto de quinhentos milhões de guizos…

Mas houve um pequeno imprevisto. Esqueci-me de juntar a correia de couro ao açaime que desenhei para o principezinho! Ele não teve como colocá-lo na ovelha. Portanto, pergunto-me: «Que se terá passado no seu planeta? Talvez a ovelha tenha comido a flor…»

Mas depressa me convenço: «Não! De certeza que, todas as noites, o principezinho recolhe a sua flor debaixo da redoma e fica a vigiar a ovelha…». Deste modo, alegro-me. E todas as estrelas riem, com doçura.

Mas depressa me convenço: «Uma ligeira distração acontece a todos e é o suficiente! Deve ter havido uma noite em que ele se esqueceu da redoma, ou em que a ovelha escapou à vigilância e…» Deste modo, todos os guizos se transformam em lágrimas.

No fundo, isto permanece um grande mistério. Para vocês que gostam do principezinho, tal como para mim, nada ficará igual no universo se, algures, em parte incerta, uma ovelha que nem sequer conhecemos comeu, ou não comeu, uma rosa…

Olhem para o céu. E interroguem-se: a ovelha comeu ou não comeu a flor? Verão como tudo muda de figura…

E um crescido nunca vai perceber que isto é muito, muitíssimo importante!

Esta é, para mim, a mais bonita e a mais triste paisagem do mundo. É a mesma paisagem da página anterior mas desenhei-a de novo, para vos mostrar melhor. Foi aqui que o principezinho apareceu na Terra e foi daqui que depois desapareceu.

Prestem muita atenção a esta paisagem, para a poderem reconhecer facilmente se um dia andarem a viajar por África, pelo deserto. E, caso passem por lá, peço-vos que não se apressem e que aguardem, só por um bocadinho, debaixo da estrela. Se nessa altura for ter convosco um rapazinho, e se ele se rir, se tiver cabelos cor de ouro, se nunca responder às vossas perguntas, vocês adivinharão logo quem ele é. Então, sejam simpáticos! Não me deixem ficar assim triste: escrevam-me depressa, a contar que ele voltou...